A
GAY

À J. D. *qui n'a pas eu peur*

© 2002, l'école des loisirs, Paris
Loi numéro 49 956 du 16 juillet 1949 sur les publications
destinées à la jeunesse : mai 1998
Dépôt légal : novembre 2003
Imprimé en France par Aubin Imprimeur à Poitiers

Michel Gay

Zou n'a pas peur

l'école des loisirs

11, rue de Sèvres, Paris 6ᵉ

Ce soir, il y a un film terrible à la télé.
Zou n'a pas le droit de le voir.
Il est formellement déconseillé aux petits.

« Pourquoi ? » demande Zou.
« Parce que ça fait peur », disent les parents. « Après tu ferais
des cauchemars ! Tu ne pourrais plus dormir.
Retourne te coucher, Zou ! »

« Et vous, vous ferez des cauchemars ? » demande Zou.
« Non, disent les parents.
Nous, on n'a pas peur. Parce qu'on est grands. »

Zou est furieux. Lui sait bien qu'il n'a jamais peur.
Alors il donne des coups de sabot dans son lit.
Crrrac ! Le drap est déchiré. Ça fait un trou.

« Et si je me déguisais en fantôme ? » se dit Zou,
en regardant à travers le trou.

Dans la glace du couloir, Zou se fait un peu peur.
Il a l'air d'un vrai fantôme.

Tout doucement, sur la pointe des sabots,
Zou se rapproche du canapé des parents.
Il inspire un grand coup pour faire un grand…

HOUHOUHOUHOU !

« Un vrai fantôme ! Au secours ! Au secours ! » crient les parents.
Ils courent se cacher.

« Je suis le vrai fantôme ! » crie Zou en poursuivant ses parents.

C'est bizarre. Ils ont disparu. Personne à la cuisine,
personne à la salle de bains, personne au salon… et personne
dans la chambre.

Zou attend dans le noir. C'est lui le fantôme, il n'a pas peur.
Pourtant, il entend du bruit dans le couloir.

C'est le plancher qui craque,
comme quand quelqu'un marche dessus.

« Vous êtes houou ? » demande Zou
avec encore un peu sa voix de fantôme.
« Coucouhouhouhouhou ! » chuchote une voix au fond du couloir.

Les vrais fantômes n'allument jamais la lumière.
Mais ils ont le droit d'avoir un laser.

Clic ! Maintenant il fait encore plus noir.

Zou s'est pris les sabots dans son drap. Son laser est cassé.
Cette fois, il n'y voit plus rien du tout.

Si ! Là-bas, dans sa chambre, il reste sa petite veilleuse.

Zou ne veut plus être un fantôme.
Il veut juste être un petit zèbre dans son lit.

Mais ses parents ne le reconnaissent pas.

« Pitié, monsieur le fantôme ! Ne faites pas de mal à notre petit Zou ! »
« Mais je suis Zou ! » dit Zou.

« Voyons ça », disent les parents.
Dans le noir, ils tâtent son ventre, ses pattes, ses oreilles, sa crinière.
« Oui, c'est bien notre petit Zou. »

« Maintenant, il faut aller vous coucher », dit Zou.
« Et le fantôme ? » demandent les parents.
« Je crois qu'il est parti. »

« Mais n'ayez pas peur. Je reste avec vous.
Je vous tiens. »